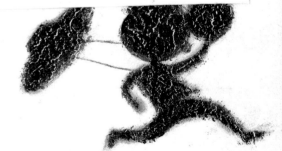

제1회 보림 창작 그림책 공모전 수상작

보림 창작 그림책 공모전은, 작가들에게는 창작 의욕과 개성을 펼쳐 보일 터전을 마련해 주고, 어린이들에게는 더 좋은 우리 그림책을 안겨 주려는 뜻으로 열립니다. 이 책은 2000년 제1회 보림 창작 그림책 공모전에서 가작으로 뽑혔습니다. 그림자 놀이, 수수께끼, 꼬리따기 등의 놀이 형식을 결합하여 어린이들의 상상력을 자극하는 재미있는 놀이 그림책입니다.

누구 그림자일까?

최숙희 글·그림

나야 나, 박쥐.

우산 그림자일까?
누구 그림자일까?

안경 그림자일까?
누구 그림자일까?

우리야 우리, 꽃뱀.

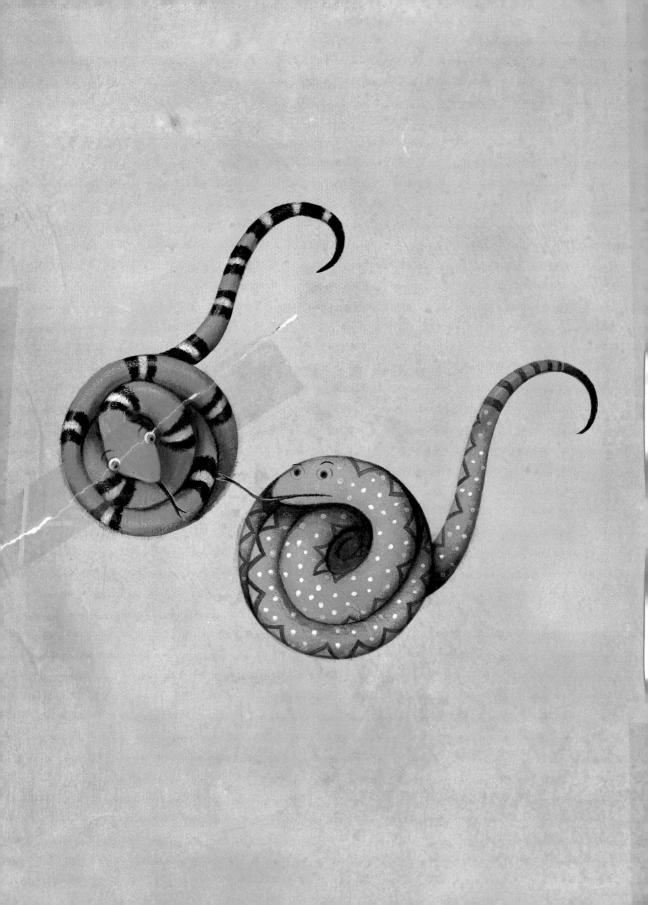

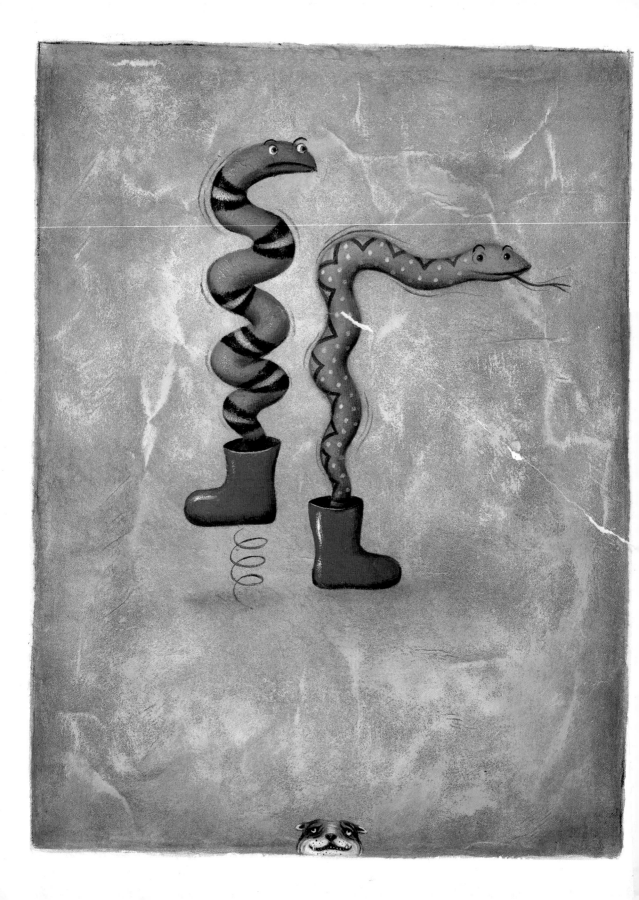

장화 그림자일까?
누구 그림자일까?

나야 나, 불독.

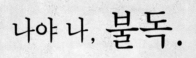

털모자 그림자일까?
누구 그림자일까?

우리야 우리, **곰이랑 고슴도치.**

꽃병 그림자일까?
누구 그림자일까?

나야 나, 문어. 우리는 불가사리.

부채 그림자일까?
누구 그림자일까?

나야 나, 공작.

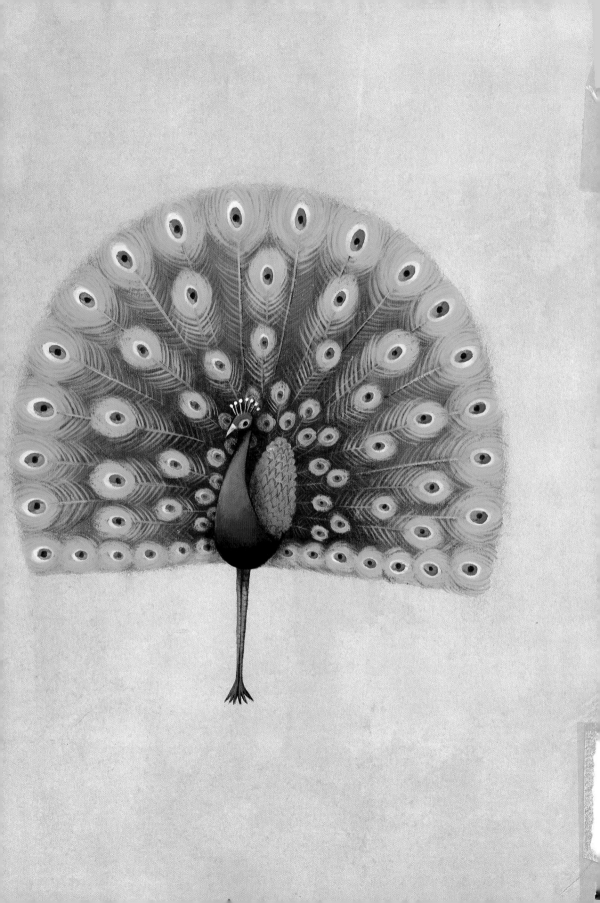

사과 그림자일까?
누구 그림자일까?

우리야, 우리.

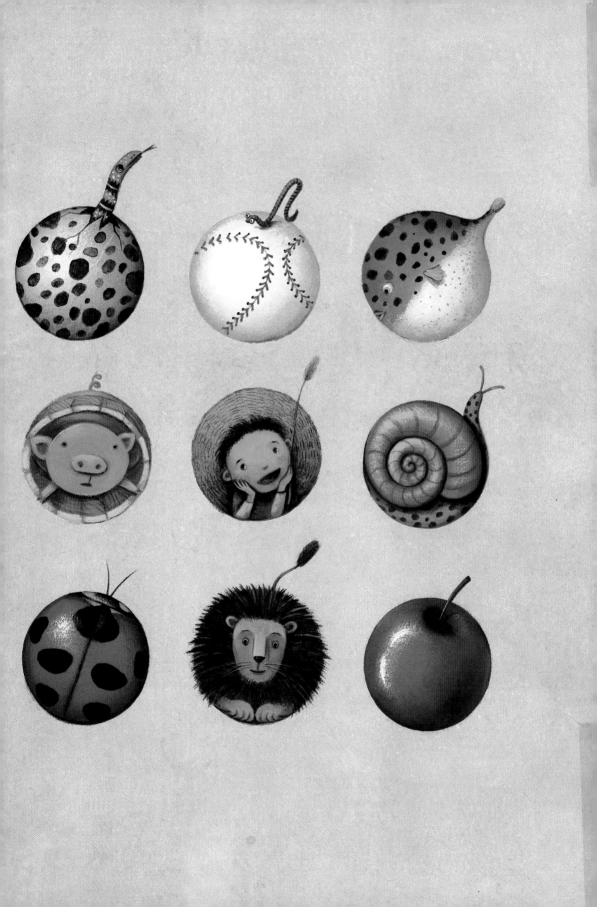

지은이 최숙희는 서울대학교에서 시각 디자인을 전공하였고 지금은 어린이 책에 그림을 그리고 있습니다. 이 책은 어린 시절 손으로 이런 저런 동물 그림자를 만들며 놀던 기억을 떠올리며 만들었다고 합니다. 작품으로 그림책 『열두 띠 동물 까꿍 놀이』, 『팥죽 할머니와 호랑이』(조대인 글), 『엄마 엄마 이야기해 주세요』(이규희 글) 등이 있습니다.

보림창작그림책공모전 수상작 1

누구 그림자일까?

초판 1쇄 발행 2000년 9월 30일 · **초판 32쇄 발행** 2009년 6월 30일
펴낸이 권종택 · **펴낸곳** (주)보림출판사 · **출판등록** 제406-2003-049호 · **주소** 413-756 경기도 파주시 교하읍 문발리 출판문화정보산업단지 515-2
대표전화 031-955-3456 · **전송** 031-955-3500 · **홈페이지** www.borimpress.com · **ISBN** 978-89-433-0424-9 77810